Aura

Caroline Louisseize

Aura

POÈTES DE BROUSSE

Les Éditions Poètes de brousse bénéficient
du soutien financier du Conseil des Arts du Canada.

 Conseil des Arts **Canada Council**
du Canada for the Arts

La création de cette œuvre littéraire a été rendue possible grâce
à l'appui financier du Conseil des arts et des lettres du Québec.

Conseil des arts
et des lettres
Québec ✛ ✛
✛ ✛

L'auteure tient à remercier Lucie Bélanger
pour sa lecture attentive de ce livre.

LES ÉDITIONS POÈTES DE BROUSSE
203, rue Prince-Arthur Est
Montréal (Québec)
H2X 1C1
Téléphone : 514 289-9452
http://www.poetesdebrousse.org

DISTRIBUTION
Diffusion Dimedia inc.
539, boulevard Lebeau
Montréal (Québec)
H4N 1S2
Téléphone : 514 336-3941

DISTRIBUTION EN EUROPE
Diffusion Paris-Montréal
102, rue des Berchères
Pontault Combault
77340 France
Téléphone : 01.60.02.97.23

Couverture : Luc Courchesne

Photo de l'auteure : David Fortin

Maquette de la couverture et mise en pages :
Turcotte design

Dépôt légal 3e trimestre 2013
Bibliothèque et Archives nationales du Québec
Bibliothèque et Archives Canada

ISBN 978-2-923338-67-5

À un moment, [...] tout change. C'est comme si le monde s'arrêtait.
Une porte s'ouvre dans la tête et laisse entrer les choses.
[...] Des sons... de la musique... des voix... des images... des odeurs...
L'odeur de l'école... de la cuisine... de la famille...
Ça me dit que la crise arrive... et je ne peux rien faire
pour l'empêcher. C'est atroce et superbe. Car durant ces
secondes, on est libre. On n'a pas le choix... Pas d'autre issue.
Pas de décision à prendre. Tout se resserre, se rapproche... et on succombe.

EL AURA
Fabián Bielinsky

Schismes ordinaires

Des lignes interrompues

tout obstacle
dans le territoire

doit former le paysage.

La terre le pollen se mêlent
aux confettis serpentins
jeux d'enfants
balayés dans l'annonce
de la tempête

un murmure
un chatouillement des lobes
pourtant

il a bien fallu une déchirure
pour en arriver là

les moutons se désagrègent
et je me joins
à la filature.

La bouche scarifiée
j'essaie de m'ajouter
au faste hystérique
inonder les souvenirs
mais j'oublie
tous les chemins
se cristallisent.

Le moindre verre
se fracasse
s'ajoute
au cartilage craquant du réveil
un équilibre magnétique
une bombe possible   *menace const.*

j'entends réelle.

Tout est faux
de la première gale
jusqu'aux cicatrices renouvelées

accoutrée de décorations
vulgaires
sombre touriste
soldat apatride
je ne sais pas rassembler ma faim sur les sentiers.

En bas
je cherche mes mains sur ma bouche.

J'aime le mensonge
s'il me permet
l'infini
ou la fuite
je ne suis pas en reste
sur le quai de mon corps
je ne suis même pas
absente de la fête

nous trouvons ça beau
partout
les artifices.

On aura tout dévoré
jusqu'à tricher l'éblouissement
avec des miroirs au ciel
craquelant l'ondée
jusqu'à rabibocher les imbroglios magnifiques
les pistils de soleils
toujours gratuits
sous les temples morts.

Versus le chaos
l'influx se braque
j'entends
lointaine la paix
à l'orée de mes limites.

La chaleur émerge
main poignante main ferme
sous mes paumes
la terre ouvre
l'arbre
l'écorce
je me pose
l'âme en miroir
et le soleil me fend le cœur.

Mon (de)
monde
je prolonge
la syllabe creuse.

Préludes au noir

Subterfuges des papillons
pourchassés sur les phares
en plein voyage d'allégresse
sortent par la bouche
noire du mensonge

comment mordre encore
pilules promises à l'échec du corps
dans l'élan jusqu'à plus soif
toutes les gorgées d'eau
ont ce goût de poussière.

Respirer
j'entends
aller voguer
comme en eau lisse
sous la lumière
j'entends
abandonner ici
ma charpente → maison
à la salamandre

elle évite
les reins même le cœur
la colonne
sa charpie
c'est seulement
dans la tête
qu'elle se loge

dans les ogives lointaines
que l'encéphale décharge
son verdict
sa furie.

Elle abandonne son corps
Salamandre la dévo°

elle abandonne la maison aux bestioles
ces bestioles rentrent dans ɪ a tête.

Symptômes néons cortex transe trafic
je collabore à mon corps pourfendu
prêté à la science
je cherche à raccorder
mes attaques ma force mes augures

lire la foudre j'entends
parole de pleine lune dans un visage de faune
j'entends
vivre
brèche ouverte depuis l'enfance.

Épilepsie sexuelle

trois dimensions

l'éclipse à bout de bras   *c'est elle qui est éclipse*

l'abandon.

La nuque enracinée j'affronte
les sévères déchirures de l'échine
ma plainte hors des murs
la loi des mains
retrouvées dans l'écume à marée basse
après avoir tant cherché
aux petites heures.

Le plexus grimpé en épi

un dard en plein centre
jalousement gardé

sous les pans du manteau noir.

La constance de l'horloge
la constance des murs
des gestes sous silence
de la lampe tenue beige

ma sécurité
toujours suivie
de près
par l'arrière-goût
du foudroiement

je cherche
toute fulgurance
pouvant jaillir
d'un état stable.

Le souffle finit toujours
par se perdre
funambule sur son tracé jaune
au bout d'une route
à moins d'en ressortir cul-de-sac
jusqu'où me faut-il aller
défendre mes absences
pour que nos rencontres
sonnent justes.

Tu ne peux pas raccrocher
mettre le doigt sur ton cœur
boucher l'aorte
rompre toutes les lignes

les samares disparaissent
dans la lumière
en lames de couteau.

Je choisis les nœuds
dans ma gorge
le risque peut bien en exciter d'autres que moi
plus courageux que moi

elle aime la léthargie

plus capables que moi
de chevaucher les menaces
de foudre
sur les rachis

je choisis
la distance
puisque de toute façon
le crâne
creuse son fossé
entre la tendresse et le monde.

Je suis capable des yeux les plus vides
les plus stridents

je suis capable
des pires attaques
des pires onguents sur désastres
climax tordu
décibels dans mes poings à lancer
l'inconscience par-dessus mes épaules

dehors je crie
dehors
sors
sinon je te pille
de tous mes harpons capables
du plus mou périmètre
du plus sensible cran d'arrêt
du plus tangible égorgement
affaires de goût
gorges chaudes asséchées

désert sans soif.

Je respire l'air qui fait flotter les drapeaux
la rumeur vivote
semences perdues au passage

vivement le silence
des temps de berne.

Foules et aurores exsangues

je fais diversion

sur ton dé certain je gratte
le bois.

Ne pas se rendre
à la danse incontrôlable des limites
court-circuiter les pronostics
chaussée rouge
le pas feutré
du fauve jusqu'à la lune
sortir pieds nus dans la pénombre
inonder toutes les passerelles
pour me retrancher
sous les quelques étincelles
me rinçant les yeux.

Ainsi lèche sa patte le renard

blessure pansée
voire cicatrice disparue

ainsi en poursuit l'origine

à froid comme à chaud.

Rides comme un lac des cygnes
devant la glace

leur chant

suspendu.

Chamanismes retrouvés

Il manque la clameur
je ne vois pas les rires les chants
j'entends la plaine le blé cueilli
sous la paume de novembre
au pommeau de l'hiver
réveil cassé sec
les sueurs m'accueillent
chamanisme de corridors
au cœur de prisons ardentes
des visages sans violons se décoiffent.

Rouge le cri de l'oiseau

le vent refoule les feuilles
vers le calme plat

le vent en sarabande d'armée folle.

Un rythme un rituel
où me raccorder
à la convergence des diaphragmes
un point vital
que je ne sois pas la seule en délire
entre l'hypothèse
et la cohue.

Bois vert
dans la forêt craquante
j'entends
intruse
dans les hululements pétrifiés
les avertissements.

La façade en séismes
une fascination

le souterrain
demeure
passage sacré
me permet les voyages
entre les mondes
pour en revenir vivante
à tout coup
les yeux fermés
c'est tout noir
j'ai appris déjà
à fermer les yeux
l'interstice
est tout noir

ce que l'on ne voit pas
existe plus fort.

Mes oracles boivent le ciel
comme autant de bavures

le ciel c'est quand

la terre peut s'arrêter.

Seuls lancés par sarbacane
ouverts aux mantras des îles
adieux oiseaux répétés
sur les berges sordides
faciès
même dans l'élan
les intuitions
ne guérissent personne.

Clairement
des ombres entre les passants
flairent le loup la chouette
des yeux abdiquent
au travers des corps
laissant le souvenir
des projections.

Des vipères s'emparent
de mon crâne
l'hôte de l'espace
dépliant les songes
les possibles se décomptent
esprits fébriles griffes rompues
la faune
dans la flore
la faille
dans nos murmures
créneaux achalandés
anarchiques et vivaces
sans mémoire
j'entends
nous sommes fous

nous sommes tous fous.

En rond les bras
avares du crépuscule
sarclant les sépulcres
mes absences
sans aucune vision
mirage au mal
fantastique
aujourd'hui rien n'est plus
extraordinaire
que l'absence

quand les tambours
sur le corps déserté
portaient
l'anima en débandade
le souffle des bêtes
sacrées au pourtour des savanes
transportaient
les savoirs ancestraux
au chevet des yourtes
emportaient
les fièvres convulsives à l'épreuve
du pilleur aux mains de feu
des chevaux en furie

le culte du microcosme
depuis lors se disperse
saccadé à petites vapeurs
le chloroforme s'étouffe
le cours de l'histoire
se rétrécit au delta.

Je suis bien naïve
rien n'apparaît que
la suite
exils momentanés
pas même salvateurs
et l'oracle
joue un mauvais équilibre
avec l'intention mesquine
de frapper toute ivresse
pour en tirer des messages

j'entends
l'exotisme
du sépia
se moque.

Dans ma tête
la main
la chimie
maintient
l'ombre
dans ma tête
je reste
je ne m'emporte pas
je m'offre
au démantèlement
organique.

Des vies
saines.

Techniquement
tout le monde
a une condition.

Clefs du vertige
les rideaux coulent
dans la rivière des petits feux
un jour à la fois
une chandelle pour chaque soupir.

Je ne suis plus
obligée
héréditaire virale ou simplement atteinte
chronique
j'entends
partout autour
génétiques
éprouvés
tous
même courbés vieillis
on se tourne le dos
on ne perd pas le goût
à sa propre blessure

nul quartier nul partage
communications épidermiques.

Nos ossatures
des cellules
limitées dans l'espace
espèce d'animal
imaginaire
les ailes tranchées

machination
à parole
incapable
de respirer sous l'eau

espèce d'animal
content

en tant qu'être humain
je veux le ciel
sentir dans ma chair.

La rencontre

de l'avion et de l'oiseau

dévoilera l'imposture.

Halos errants

L'univers restitué
dans mes pas
au pochoir

les ressacs me reviennent de droit.

Catapultés les oiseaux
plissent la terre

de leur gorge

détroussent

les vérités dans leur refuge.

Ici permettre à la musique de se blottir
directement contre ma peau
se percuter l'air devenu palpable

un vent de pluie
que j'accueille
à poumons déployés.

Nous sommes nés la peau froissée
les yeux trop petits
pour en tirer la pénombre du loup
à la courte paille
du haut des phalanges
sur les montagnes les faucons
se dévoilent
bec perché
en chasse
y trouvent
le discernement.

Ma main au feu
que les outardes volent jusqu'en terre inconnue

leur instinct d'épave sait
porter au nid
le recommencement.

La folie des oiseaux
la parole aux oiseaux
la bouche aux oiseaux
l'île aux oiseaux
soleils éblouis
synapses aux oiseaux
la chamane aux oiseaux

l'autodafé
rire à l'âge perdu
le prisme capital
les secondes applaudissent
dans les retrouvailles
il n'y a plus rien
qu'un battement.

La magie ne veut rien savoir
d'une maladie humaine

son soleil fusille nos branchages
cristal de bruine au champ ouvert
du printemps
les signes de tout bois
écorces et racines
nervures et ronces
réunies
nous recevons les fantômes
par la lueur
de nos doutes.

Les fantômes dans
les petites choses
l'archange au soleil
boiteux l'ombre du saule
dans l'exil de l'œil
me rapportent la sagesse
le feu
la foi.

C'est par notre rire que le vent passe.

Perles aux poings
à cultiver nos lustres
digitales et scrupules
à bâtons rompus
le silence

ne reste
qu'à tirer
des conclusions
ouvrir la paume
arrimer l'armure l'avenir
crier vis-à-vis
sans cligner de l'œil
lire les sillons tracés dans la peau
comme une chanson
à même nos mains.

Dans le corps les crocs
je l'espère
expulsent
nos poisons

les couleurs
rétrécissent
dans les rues
j'entends
nous sommes sauvés
l'iris nous donne la force
de croire au printemps.

L'expérience du sublime
à la portée d'un clin d'œil
les apparitions magnolias
transcendent l'hiver

même friables
les sphinx s'affolent
et détalent superbes
sans l'aile d'un doute.

Retour à la maison

Coudre des points sur tes lèvres qui durent
un roc cette échine plombée
en plein soleil des millions de fois
tes yeux me dévorent
jusqu'à l'os de nos maisons
nos jeux de cartes élevés
en poutres face à l'éphémère.

Un gisement
d'organismes
en putréfaction
en résurgence
voient naître
la fleur le fléau

nous affichons
notre survie
la langue en cataplasme
sous des bombes peuplées

couteaux en larmes
autour du halo.

Mon ardoise me restreint
à nos petits univers sucrés
œillets dans un bleu profond
nos rêves revêches gloires gouttes d'eau
bottillons fendus
nos clefs dans le sable
papillons babélisés autour du savoir

il me reste toujours cette chaleur
malgré le spasme sacré
de mon petit doigt.

Un jour je la flamberai exprès
ma maison
de tout le bois dont elle se chauffe
on l'entendra brûler
brûler pour l'éclat brûler pour rire

j'aurai du mal
à contenir ma joie
de nous voir tous
réunis
autant que nous sommes
autant que je sache
autant que j'étouffe.

Elle va
devenir
+ revolutionnaire
Elle devient
elle-même

Peu importe
que les coudes s'affaissent
sur des comptoirs mouillés d'inquiétudes
peu importe l'angoisse meurt aussi
comme le font les empires

il se passe bien des choses
et nous avons trop peu de mots

à notre mesure il y aura
la trace que laisse la lumière
quand on a fermé les yeux.

Aura
composé en Times New Roman corps 12 points
a été imprimé sur les presses de l'imprimerie Gauvin,
à Gatineau,
en septembre 2013

Un papier contenant 100 % de fibres
postconsommation a été utilisé pour
les pages intérieures

Imprimé au Québec (Canada)